免疫力が上がる、おいしくなる

からだが整う

発酵おつまみ

真藤舞衣子

塩麹やみそ、ヨーグルトなどの「発酵食品＝体にいい」は

だれでも知っていること。

食材は「発酵」の過程で素材のうまみや味わいが増し、保存性が高まったり、

腸内環境の改善、免疫力のアップ、血栓予防、抗酸化作用など、

さまざまな健康効果が期待できる発酵食品に変身します。


そして、日本酒やワインなどのお酒もまた発酵食品です。

だから、発酵食品を取り入れた「発酵おつまみ」とお酒の組み合わせは最強。

おいしいだけでなく、安心して飲めるのも魅力です。

ただし、飲みすぎは禁物です。

発酵おつまみで胃を満たしながら、適度なお酒を楽しくいただきましょう。


本書でご紹介する発酵おつまみは、塩麹・みそ・酒粕・ヨーグルト・

ビネガー・ナンプラーの6つの発酵食品を使っています。

発酵で生まれるうまみやコク、風味はそれぞれ異なるので、

レシピを見て使い分けを楽しんでください。


作り方はどれも、飲みながらでも作れるくらい簡単なものばかり。

「かけるだけ、混ぜるだけ」のおつまみから、

「漬けておくだけ」でできるおつまみ、

少しだけ手をかけて「焼いたり、煮たりする」おつまみまで、バラエティー豊か。

健康的な食卓のひと皿になること請け合いです。

## おつまみに取り入れたい「発酵食品」はこれ。

本書で使う6つの発酵食品は、
塩麹、みそ、酒粕、ヨーグルト、ビネガー、ナンプラー。
レシピでは市販のものを使っていますが、
塩麹とヨーグルトは簡単に手作りできるので、
ぜひご自宅で作ってみてください。

## 塩麹

塩と米こうじで作る調味料。塩の代わりに使うと、発酵で生まれる甘み、うまみ、コクで深みのある味の料理に仕上がる。→作り方はp.92

## みそ

大豆を蒸してつぶし、麹と塩を加えて発酵させたもの。麹の違いによって米みそや麦みそ、豆みそなどがある。メーカーによって塩加減が異なるので加える量を調整して。

## 酒粕

日本酒を造る工程で、発酵したもろみを搾ったもの。酒の風味があって、栄養成分やうまみ成分が豊富。ペースト状が使いやすい。板状なら、温めてやわらかくして使う。

## ヨーグルト

牛乳を乳酸菌や酵母で発酵させたもの。本書ではプレーンを使用。肉料理に使うと乳酸菌の働きでやわらかくジューシーに。臭み消しにもなる。→作り方はp.93

## ビネガー

穀物や果実を原料にした醸造酒を酢酸発酵させたもの。ワインビネガーや米酢などたくさんの種類がある。それぞれに異なる芳醇な香りがある。

## ナンプラー

小魚を塩漬けして発酵させてできる液体で、魚醤の一種。魚のうまみが濃縮されているので濃厚な香り。タイなど東南アジアの調味料で、エスニック料理に欠かせない。

# Contents

本書の使い方

・大さじ1＝15mℓ、小さじ1＝5mℓ、1カップ＝200mℓです。

・塩麹は商品によって塩けが異なるので、味をみながら量を調整してください。

・電子レンジは600Wを使用しています。

・オーブンは予熱をします。

・「こしょう」とあるのはすべて「黒こしょう」です。

・特に明記はしていませんが、玉ねぎやにんじん、大根、果物などは皮をむいてから切ります。

# 第2章 煮る、焼く、炒める 温かいおつまみ

# 第3章 10分〜ひと晩なじませる 漬けるおつまみ

# はじめに

我が家では、物心ついたころから発酵食品に囲まれていました。みそや納豆、ぬか漬けはもちろんのこと、祖母から紅茶きのこを飲まされたり、マコモ菌というマコモを発酵させた真っ黒い怪しいお風呂に入れられたり……（笑）。発酵や菌活という言葉が出回る前から、私にとっては生活の一部だったのです。

こんな生活をやめずに（さすがにお風呂には入っていませんが）常に発酵食品を食事に取り入れているおかげでしょうか？　今まで大きな病気をしたことはないし、風邪もほとんどひきません。これは意識して取り入れることで、発酵食品が体をやさしく整えてくれているおかげだと思っています。

基本の調味料「さしすせそ」の中で、酢、しょうゆ、みそは発酵食品ですから、日々の暮らしの中でとても身近なもの。ごく自然に発酵食品を取り入れているのですね。ほかにナンプラーや酒粕なども発酵食品として活躍します。

いつまでも元気で健康でいられるためには、まず、腸内環境をよくすることが大切です。「菌活」という単語が最近広まっていますが、日本で古くから伝わる発酵食品は、その菌活に大切な食品です。今改めてその魅力に注目が集まっています。日々の食事作りに発酵食品を取り入れることで、食材をやわらかくしたり、うまみを増すので料理がおいしくなります。そのうえ、健康になるという相乗効果も期待できるのですからいいこと尽くし。

発酵食品は消化に伴う腸への負担が少なく、効率よく栄養を摂取できます。「みそ汁などを加熱すると菌が死んでしまうのでは？」とよく聞かれますが、加熱しても善玉菌のエサとなって腸内環境を整えるので、積極的に摂取しましょう。

本書では、忙しい方も簡単に発酵食品を取り入れられるよう、たくさんのレシピをご紹介しています。おつまみだけでなく、おかずとしても活用していただければうれしいです。

真藤舞衣子

# 第1章 かけるだけ、混ぜるだけ 10分おつまみ

おつまみ作りで一番うれしいのは、パパッとできること。とりあえず一杯、を始めるときに役立つメニューをご紹介します。かけたり、混ぜたりするだけなので、10分以内に完了です。発酵食品を取り入れたメニューは味に深みがあります。お腹にもやさしいのでぜひお試しを！

たこのセビーチェ
*Recipe _ p.12*

帆立ときゅうりとキウイの
塩麹ヨーグルト和え
*Recipe _ p.12*

塩麹 —— Salted kōji

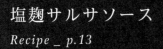

塩麹サルサソース
*Recipe _ p.13*

塩麹フムス
*Recipe _ p.13*

塩麹ワカモレ
*Recipe _ p.13*

## たこのセビーチェ

中南米で食される魚介のマリネ。
塩麹でほんのりやさしい味に。

材料と作り方　2人分

**A** | ゆでだこ (5㎜厚さの薄切り) … 100g分
　　　紫玉ねぎ (薄切り) … ¼個分
　　　黒オリーブの実
　　　　(水煮／種なし／横2等分に切る) … 10粒

**B** | 塩麹 … 小さじ1
　　　レモン汁 … 大さじ1
　　　こしょう … 適量

―――

ボウルに**A**を入れ、**B**を加えてさっと和える。

## 帆立と
## きゅうりとキウイの
## 塩麹ヨーグルト和え

爽やかな風味が口に広がります。

材料と作り方　2〜3人分

**A** | ヨーグルト (プレーン) … 大さじ1
　　　塩麹 … 小さじ1
　　　オリーブ油 … 小さじ1

**B** | 帆立貝柱 (生食用／縦4等分に切る) … 3個
　　　きゅうり (縞目にむいて7㎜厚さの小口切り)
　　　　… ½本分
　　　キウイフルーツ (2㎝厚さのいちょう切り)
　　　　… ½個分

スペアミント、こしょう … 各適量

―――

ボウルに**A**を合わせて混ぜ、**B**を入れてよく和
える。ミントを散らし、こしょうをふる。

## 塩麹ワカモレ

トルティーヤにディップしてどうぞ。

材料と作り方　2〜3人分

**A** アボカド (果肉を取り出して
　　　フォークなどでつぶす) … 1個
　　玉ねぎ (みじん切り) … 1/4個分
　　パクチー (みじん切り) … 1本分
　　にんにく (すりおろし) … 1片分
　　レモン汁 … 小さじ1 1/2
　　塩麹 … 大さじ1/2

トルティーヤチップス … 適量

―――――

1. ボウルに**A**を入れて和える。

2. 器に盛り、トルティーヤチップスを添える。

## 塩麹サルサソース

夏に食べたいメキシカンソース。

材料と作り方　2人分

トマト (1cmの角切り) … 1個分
玉ねぎ (みじん切り) … 1/8個分
パクチー (みじん切り) … 1本分
にんにく (すりおろし) … 1片分
塩麹 … 大さじ1
レモン汁 … 小さじ2
タバスコ … 小さじ1/2
オリーブ油 … 大さじ3

―――――

ボウルに材料をすべて入れて和える。

## 塩麹フムス

ライムを添えてもおいしい。

材料と作り方　作りやすい分量

**A** ひよこ豆水煮缶 (缶汁はきる) … 200g
　　白練りごま … 大さじ2
　　にんにく (すりおろし) … 1片分
　　塩麹 … 大さじ1
　　オリーブ油 … 大さじ2

オリーブ油 … 大さじ1
パプリカパウダー … 少々
トルティーヤチップス … 適量

―――――

1. ミキサーに**A**を入れ、なめらかになるまで
　攪拌する。

2. 器に盛り、オリーブ油を回しかけてパプリカ
　パウダーをふる。トルティーヤチップスを添
　える。

　　　　　　　塩麹 —— Salted kōji

# ささ身の塩麹和え

塩麹でやわらかなささ身に。うまみがしみ込んでジューシー。

鶏ささ身（斜め薄切り）… 2本（130g）分
紫キャベツ（一口大に切る）… 1/6個
塩麹 … 小さじ2
万能ねぎ（5㎝長さの斜め切り）… 5本分
ごま油 … 小さじ1

————

耐熱容器にささ身、紫キャベツ、塩麹を入れて混ぜ合わせ、ラップをして電子レンジで2分加熱する。万能ねぎとごま油を加えてよく和える。


# よだれ豚

豚肉にたれがからむとよだれが出るほどのおいしさに。

材料と作り方　2～3人分

豚バラ薄切り肉 … 200g
湯 … 200㎖
塩麹 … 小さじ1

A │ 長ねぎ（みじん切り）… 5㎝分
　 │ しょうが（みじん切り）… 1片分
　 │ にんにく（みじん切り）… 1片分
　 │ しょうゆ … 小さじ2
　 │ 塩麹 … 小さじ1
　 │ はちみつ … 小さじ1
　 │ レモン汁 … 小さじ1

白炒りごま、ラー油（各好みで）… 各適量

————

1. 耐熱ボウルに分量の湯と塩麹を入れ、豚肉をほぐし入れる。ラップをしないで電子レンジで1分ほど加熱して軽く混ぜ、さらに30秒ほど加熱する。ざるに上げて水けをよくきり、器に盛る。

2. Aは合わせて混ぜ、1.にかけ、好みで炒りごまをふってラー油をたらす。

みそと青唐辛子

そばのケチャップみそ和え

アボカドの金山寺みそのせ

あじのなめろう

## そばのケチャップみそ和え

栄養価が高いそばの実が
たっぷりいただけます。

そばの実 … 30g

**A** | みそ … 大さじ2
| トマトケチャップ … 大さじ1

クラッカー … 適量

―――

1. そばの実はたっぷりの湯でやわらかくなるまで
   15分ほどゆで、ざるに上げる。

2. ボウルに1.を入れ、**A**を加えて混ぜ合わせる。

3. 器に盛り、クラッカーを添える。


## あじのなめろう

あじと香味野菜を
たたいて混ぜるだけで完成！

材料と作り方　2 ～ 3 人分

あじ (刺身用) … 80g
みそ … 小さじ2

**A** | しょうが (みじん切り) … 1/2 片分
| にんにく (みじん切り) … 1/2 片分
| みょうが (せん切り) … 1本分
| 白炒りごま … 少々

青じそ … 2枚

―――

1. あじは細切りにしてたたいてみそを加え、さら
   にたたく。ボウルに入れて**A**を加え、よく和
   える。

2. 器に青じそを敷き、1.をのせる。


## みそと青唐辛子

ピリッとパンチのあるみそには
サワークリームを。

材料と作り方　2 ～ 3 人分

**A** | みそ … 100g
| 青唐辛子 (小口切り) … 1本分
| にんにく (すりおろし) … 1片分
| はちみつ … 大さじ1

サワークリーム … 大さじ1 1/2

―――

1. 耐熱容器に**A**を入れてよく混ぜ、ラップを
   して電子レンジで1分加熱する。

2. 器に盛り、サワークリームを添える。


## アボカドの金山寺みそのせ

アボカドとみそが合わさると
後をひくおいしさ。

材料と作り方　2 人分

アボカド (種を除き縦2等分に切る) … 1/2 個
金山寺みそ … 大さじ1 1/2

―――

アボカドに金山寺みそをのせて器に盛る。

# さば缶のみそスパイス和え

さば缶にカレー味をプラス。パンチのあるひと皿です。

材料と作り方　2人分

さば水煮缶（缶汁はきる）… 1缶（130g）
紫玉ねぎ … 1/8個
しょうが（みじん切り）… 1/2片分
みそ … 小さじ2
レモン汁 … 小さじ1
カレー粉 … 小さじ1/2
パクチー（ちぎる）… 1本

―――――

紫玉ねぎは薄切りにして水に15分ほどさらし、ざるに上げて水け
をきる。ボウルに入れ、残りの材料を加えて和え、器に盛ってパク
チーを散らす。

# 酒粕白和え

酒粕＋塩麹で春菊独特の苦みがまろやかに。
柿の甘みがアクセント。

材料と作り方　2人分

**A** 酒粕 … 大さじ1
　　 塩麹 … 小さじ1

柿 (8等分のくし形切り) … 1個分
春菊 (葉を摘む) … 3本

———

ボウルに **A** を合わせ、柿と春菊を加えて和える。

# これも発酵食品① チーズ

チーズには種類がたくさんあり、それぞれに個性的な味わいがあります。それだけでもワインなどのお酒にぴったりですが、野菜や魚介類と合わせればさらにランクアップ。お酒がすむおつまみのレパートリーが広がります。

## マッシュルームのカルパッチョ

マッシュルーム本来の味をチーズが引き出します。

材料と作り方　2人分

[マッシュルーム6〜8個] は石づきを取って縦に薄切りにし、器に盛る。[パルメザンチーズ適量] をチーズグレーターでおろしながらかけ、[ピンクペッパー (ホール) 適量] をふり、[オリーブ油適量] を回しかける。

## ビーツのクリームチーズ和え

独特の風味をクリームチーズが包み込みます。

材料と作り方　2人分

[ビーツの水煮 (ホール) 3切れ] は縦4等分にしてボウルに入れ、[クリームチーズ大さじ1] と [こしょう適量] を加えて和える。

## 柑橘とシェーブルチーズのサラダ

すっきりといただくサラダです。

材料と作り方　2〜3人分

[オレンジ1個] は皮をむいて薄皮から実を取り出し、半分に割る。[クレソン1束] は5cm長さに切る。[シェーブルチーズ20g] は小さくちぎる。これらをボウルに入れて合わせ、[塩、こしょう各適量] をふって、[オリーブ油大さじ1] を回しかける。

## しらたきのブルーチーズ炒め

チーズもしらたきといっしょに炒めればまろやか。

材料と作り方　2人分

[しらたき1袋 (220g)] は食べやすい長さに切り、沸騰した湯で3〜5分ゆでてざるに上げ、水けをきる。フライパンに [オリーブ油大さじ1] を熱し、しらたきを入れて中火で炒める。水分が飛んでキュッキュッと音がしたら、[にんにくのみじん切り1片分] を加えて香りが立つまでさらに炒め、[ブルーチーズ20g] [生クリーム大さじ2] [塩麹、こしょう各少々] を加えて全体にからめる。

## 焼きカマンベール

トッピングがチーズのうまみの引き出し役に。

材料と作り方　2〜3人分

フライパンに [カマンベールチーズ1個] を入れて、軽く焼き目がつくまで両面を焼き、器に盛る。刻んだ [くるみ10g] と [はちみつ大さじ1] をかけ、[ピンクペッパー (ホール) 適量] を砕いてふる。

## いかのクリームチーズ炒め

クリームチーズと塩麹のW効果でいかのうまみが倍増。

材料と作り方　2〜3人分

[いか1ぱい] は足とわたを引き抜いて軟骨を除き、わたをはずす。胴は5mm幅の輪切り、足は1本ずつに切り分ける。フライパンに [にんにくのみじん切り1片分] と [オリーブ油大さじ1] を入れて中火で熱し、香りが立ったらいかを加えて1分ほど炒める。[塩麹小さじ1] と [クリームチーズ大さじ1] を入れさっと混ぜ、[こしょう適量] をふって火を止める。器に盛り、[イタリアンパセリ少々] を添える。

かにかまとセロリの和えもの

チキンのヨーグルト練りごま和え

オイルサーディンのヨーグルトマリネ

ごぼうの明太子ヨーグルト和え

## チキンの
## ヨーグルト練りごま和え

ごまの風味が漂うヘルシーレシピ。

材料と作り方　2人分

鶏胸肉 … ½枚 (130g)
塩麹 … 小さじ2
ヨーグルト (プレーン) … 大さじ2
白練りごま … 大さじ1
イタリアンパセリ (みじん切り) … 1本分

———

1. 鶏肉はフォークで数か所刺して塩麹をまぶす。耐熱容器に入れてラップをかけ、電子レンジで2分加熱する。一度取り出して裏返し、再びラップをかけて1分ほど加熱する。指で押してやわらかすぎる場合は、半生状態なので再度1分加熱する。

2. 粗熱がとれたら、手で細かく裂いてボウルに入れる。ヨーグルト、練りごま、イタリアンパセリを加えてよく和え、器に盛る。

## ごぼうの明太子ヨーグルト和え

爽やかな風味のディルが隠し味。

材料と作り方　2〜3人分

ごぼう (ささがき) … ½本分

**A** ┃ 明太子 (薄皮からこそげ出す) … 1腹
┃ ヨーグルト (プレーン) … 大さじ1
┃ ディル (3cm長さにちぎる) … 1本

こしょう (好みで) … 適量

———

1. 耐熱容器にごぼうと酢水 (たっぷりの水に酢小さじ1ほど〈分量外〉) を入れ、10分ほどさらす。水けをきって容器に戻し、ラップをしないで電子レンジで3分ほど加熱する。

2. 1.にAを加えて和え、好みでこしょうをふる。

## かにかまとセロリの
## 和えもの

セロリの食感がアクセント。

材料と作り方　2人分

かに風味かまぼこ (細かく裂く) … 70g
セロリ (5cm長さの斜め薄切り) … 1本分
ヨーグルト (プレーン) … 大さじ1½
こしょう … 適量

———

ボウルに材料をすべて入れて和える。味をみて、塩けが足りなければ塩少々 (分量外) を足す。

## オイルサーディンの
## ヨーグルトマリネ

オイルサーディンのオイルを
なすに吸わせるのがポイント。

材料と作り方　2〜3人分

なす (1cm幅の輪切り) … 1本分
オイルサーディン缶 (2cm幅に切る)
　… 1缶 (約100g)
トマト (1cmの角切り) … ½個分
玉ねぎ (5mmの角切り) … ⅛個分
イタリアンパセリ (2〜3cm長さにちぎる)
　… 1本
ケッパー (酢漬け) … 大さじ1
ヨーグルト (プレーン) … 大さじ1

———

1. 耐熱容器になすとオイルサーディンのオイルを入れ、ラップをして電子レンジで1分30秒加熱する。

2. 粗熱がとれたら、残りの材料を加えてよく和える。味をみて塩、こしょう各適量 (各分量外) で味をととのえる。

きゅうりとディルのサラダ

コールスロー

キャロットラペ

レンズ豆のサラダ

# コールスロー

ワインビネガーと塩麹の
ダブル発酵調味料で、うまみ倍増！

材料と作り方　3 〜 4人分

**A** ┌ キャベツ (せん切り) … $\frac{1}{8}$個分
  │ 紫キャベツ (せん切り) … $\frac{1}{12}$個 (約70g) 分
  │ にんじん (せん切り) … $\frac{1}{2}$本分
  │ 玉ねぎ (みじん切り) … $\frac{1}{8}$個分
  │ 白ワインビネガー … 大さじ1
  │ 塩麹 … 小さじ1
  └ オリーブ油 … 大さじ1

塩、こしょう … 各適量

———

ボウルに**A**を入れてよく和え、塩、こしょうで味
をととのえる。

# レンズ豆のサラダ

缶詰のレンズ豆を使えば
あっという間に出来上がり。

材料と作り方　3 〜 4人分

レンズ豆水煮缶 (缶汁はきる) … 1缶 (240g)
玉ねぎ (みじん切り) … $\frac{1}{8}$個分
ベーコン (横3mm幅の細切り) … 2枚分
白ワインビネガー … 大さじ1$\frac{1}{2}$
塩麹 … 大さじ1
オリーブ油 … 大さじ1
こしょう … 適量

———

耐熱容器に材料をすべて入れて混ぜ、ラップをして
電子レンジで1分加熱する。

# きゅうりとディルのサラダ

いただく直前に和えるのがポイント。

材料と作り方　2人分

きゅうり (斜め薄切り) … 1本分
ディル (3cm長さにちぎる) … 1本
玉ねぎ (みじん切り) … $\frac{1}{4}$個分
しらす干し … 15g
白ワインビネガー … 大さじ1$\frac{1}{2}$
塩麹 … 小さじ1
こしょう … 適量

———

1. 玉ねぎは10分ほど水にさらして、ペーパー
   タオルで水けをとる。

2. ボウルに材料をすべて入れて軽く和える。

# キャロットラペ

歯ごたえがあってさっぱり味。
ワインにぴったりです。

材料と作り方　2 〜 3人分

にんじん (せん切り) … 小1本分
玉ねぎ (みじん切り) … $\frac{1}{8}$個分
ツナ水煮缶 (缶汁をきってほぐす) … 1缶 (70g)
イタリアンパセリ (みじん切り) … 1本分
白ワインビネガー … 大さじ1$\frac{1}{2}$
塩麹 … 小さじ2

———

ボウルに材料をすべて入れて混ぜ合わせる。

＊にんじんがかたいときは、耐熱容器に入れてラップをし、
　電子レンジで1分加熱する。

# カルパッチョ

たいのうまみを発酵調味料が最大限に引き出し、お酒がすすむ一品に。

材料と作り方　2人分

たい（刺身用さく／薄いそぎ切り）… 150g分
塩麹 … 小さじ2
白ワインビネガー … 小さじ2
こしょう … 適量
レモン … 適量

1. 器にたいを並べて盛り、合わせた塩麹とワインビネガーをかけて、こしょうをふる。

2. レモンの皮をすりおろしながら、全体にふる。

# まぐろとねぎのぬた

まぐろのうまみに、昆布や発酵食品のうまみが加わって絶品！

材料と作り方　2人分

**A** | まぐろ（刺身用さく／2cmの角切り）… 150g分
　　| 塩昆布 … 大さじ1

**B** | みそ … 大さじ1
　　| 米酢 … 小さじ1
　　| 砂糖 … 小さじ½
　　| 練りがらし … 少々

万能ねぎ（1cm幅の斜め切り）… 3本分
白炒りごま … 小さじ1

———

AとBはそれぞれ混ぜ合わせてから、同じボウルに入れて和え、万能
ねぎと炒りごまを加えて和える。

ナンプラーのおひたし
*Recipe _ p.30*

ナンプラーカルパッチョ
*Recipe _ p.30*

ゆで魚のナンプラーミントソース
*Recipe _ p.31*

ナンプラーなます
*Recipe _ p.31*

## ナンプラーのおひたし

ナンプラーの香りが漂うおひたし。
電子レンジならあっという間に完成！

材料と作り方　2 〜 3人分

豆苗(とうみょう)(半分に切る) … 1パック
油揚げ(熱湯をかけて油抜きし、1cm幅に切る) … 1枚
ナンプラー … 大さじ1
みりん … 大さじ1
水 … 50㎖

────

耐熱容器に材料をすべて入れ、ラップをかけて電
子レンジで1 〜 2分加熱して和える。

## ナンプラーカルパッチョ

パクチーがアクセント。
ライムをかけてさっぱりと。

材料と作り方　2 〜 3人分

サーモン(生食用／薄切り) … 100g分
ナンプラー … 大さじ½
紫玉ねぎ(薄切り) … ⅛個分
青唐辛子(輪切り) … ½本分
パクチー(5cm長さに切る) … 1本
ライム(またはレモン) … ¼個

────

1. サーモンはナンプラーを加えて和え、5分ほ
   ど冷蔵庫に入れる。紫玉ねぎは水にさらして、
   ペーパータオルで水けをとる。

2. ボウルに1.と青唐辛子、パクチーを入れて
   和え、器に盛ってライムを添える。ライムを
   搾って食べる。

## ゆで魚の
## ナンプラーミントソース

爽やかなミントの香りが
たらの味を引き立てます。

材料と作り方　2人分

生たら（切り身）… 2切れ
＊たいやさわらなどの白身魚でもよい。
塩麹 … 小さじ2

A　しょうが（せん切り）… 1片分
　　ナンプラー … 小さじ1
　　はちみつ … 小さじ1
　　酢 … 小さじ$\frac{1}{3}$
　　太白ごま油 … 小さじ2
　　スペアミント（葉を摘む）… 適量

――――

1. 耐熱容器にたらを入れて塩麹をまぶし、ラップをして電子レンジで1分30秒ほど加熱する。ひっくり返してさらに1分ほど加熱し、器に盛る。

2. Aを合わせ、1.にのせる。

## ナンプラーなます

シャキシャキの歯ごたえが楽しい一品。
ワインといっしょにどうぞ。

材料と作り方　2人分

にんじん … $\frac{1}{2}$本
大根 … 10㎝
塩 … ひとつまみ
赤唐辛子（小口切り）… 1本分
酢 … 大さじ2
ナンプラー … 大さじ1
はちみつ … 小さじ2

――――

1. にんじんと大根は5㎝長さ、5㎜角の棒状に切る。

2. ボウルに1.を入れ、塩を加えてもむ。

3. 水けが出たら絞り、残りの材料を加えてよく和える。

# これも発酵食品② アンチョビ

アンチョビはカタクチイワシを塩漬け発酵してオリーブ油に浸したもの。塩辛くて濃厚なので、味のアクセントになります。少量を隠し味に使うと、深みのある味わいに。お酒とも相性抜群です。おつまみに加えておおいに活用しましょう。

## ゆで卵のアンチョビのせ

半熟卵がおすすめ。
とろっとした黄身がソースのよう。

材料と作り方　2人分
[卵1個]は室温にもどす。鍋に卵とかぶるくらいの水を入れて火にかけ、沸騰したら3～5分ゆでる。冷水にとって冷まし、殻をむいて縦半分に切る。器に盛り、それぞれ[アンチョビフィレ1/4～1/2枚]をのせ、[ディル適量]を飾る。

## 発酵バターと
## アンチョビのせバゲット

発酵バターは乳酸菌で発酵させたクリームが原料。コクと風味が豊かです。

材料と作り方　2人分
1cm厚さにスライスした[バゲット4枚]それぞれに、5gにスライスした[発酵バター1枚]と[アンチョビフィレ1/2枚]ずつをのせる。

## アンチョビポテト

アンチョビの塩けが
じゃがいもの味つけにひと役買います。

材料と作り方　2人分
[じゃがいも2個]は皮をむき、鍋にかぶるくらいの水とともに入れ、火にかける。沸騰したら弱火にして10～15分ゆで、一口大に切る。[アンチョビフィレ1～2枚]は刻む。フライパンに[オリーブ油大さじ1]、アンチョビフィレ、[にんにくのすりおろし1片分]を入れて中火で熱し、じゃがいもを加えて炒める。好みで[塩、こしょう各適量]をふり、[イタリアンパセリの粗みじん切り1本分]を散らす。

## ズッキーニとなすの
## アンチョビ炒め

オリーブ油に溶け出したアンチョビのうまみを野菜がしっかり吸い込みます。

材料と作り方　2人分
[ズッキーニ1/2本]と[なす1本]は5cm長さのくし形切りにし、[アンチョビフィレ1～2枚]は細かく刻む。フライパンに[オリーブ油大さじ1]とアンチョビフィレを入れて中火で熱し、ズッキーニとなすを加えてしんなりするまで炒める。[塩適量]で味をととのえる。

# 第2章 | 煮る、焼く、炒める温かいおつまみ

ここでは加熱して作るおつまみを紹介します。混ぜたり、かけたりするだけではないので、少し時間が必要ですが、その分、温かいおつまみが食べられます。発酵食品のうまみを生かしながら作るので、出来立てのおいしさは格別です。しかもフライパンを使うものが多いので、だれでも簡単に作れます。1人飲みのときでも、飲み会でも大活躍するレシピばかりです。

# 豚肉の塩麹炒め

パンチのある肉で野菜をたっぷりと。
レタスで包んでもOK。

材料と作り方　3〜4人分

塩麹炒め
　豚ひき肉 … 300g
　にんにく（みじん切り）… 1片分
　しょうが（みじん切り）… 1片分
　米油 … 大さじ1
　塩麹 … 大さじ2
　こしょう（好みで）… 適量

トレビス … 3〜4枚
トマト、紫玉ねぎ（各5㎜の角切り）… 各適量
パクチー … 適量

————

1. 塩麹炒めを作る。フライパンににんにく、しょうが、米油を入れて中火にかけ、香りが立ったらひき肉を入れて炒める。肉の色が変わったら塩麹を加えてさらに炒め、好みでこしょうをふる。

2. トレビスにトマト、紫玉ねぎとともに1.をのせ、パクチーを飾る。トレビスで包んで食べる。

　＊ 1.の塩麹炒めから70gを取り分け、右記のオムレツで使ってもよい。

# 豚肉の塩麹炒めオムレツ

左記のメニューを使った
栄養満点のオムレツです。

材料と作り方　2人分

卵 … 3個

**A** ┌ 左記「豚肉の塩麹炒め」… 70g分
　　│ 玉ねぎ（薄切り）… 1/2個分
　　│ イタリアンパセリ（粗みじん切り）… 1本分
　　└ こしょう … 適量

オリーブ油 … 大さじ2

————

1. ボウルに卵を割り入れてよく溶き、**A**を加えてよく混ぜる。

2. フライパンにオリーブ油大さじ1を熱し、1.を入れてゴムべらでざっくりと混ぜ、そのまま7分ほど弱火で焼く。こんがりと焼き色がついたらひっくり返し、残りのオリーブ油を鍋肌から回し入れ、2分ほど弱火で焼く。6等分に切って器に盛る。

厚揚げ塩麹グリル

塩麹ごま蒸しなす

ほうれん草の塩麹ピーナッツバター和え

# 厚揚げ塩麹グリル

焼き色の香ばしさがおいしさを後押し。
厚揚げ本来の味が生きています。

材料と作り方　2人分

厚揚げ（1.5cm幅に切る）… 1枚
塩麹 … 大さじ1
米油 … 大さじ1

1. 厚揚げは全体に塩麹をまんべんなく塗って、
   そのまま15分ほどおく。

2. フライパンに米油を熱し、1.を入れて両面
   にしっかり焼き色がつくまで中火で3分ほど
   焼く。


# 塩麹ごま蒸しなす

香味野菜が味のアクセント。
なすはレンジで加熱するだけでOK。

材料と作り方　2人分

なす（縦8等分に切る）… 2本

A｜白練りごま … 大さじ1
　｜みりん … 大さじ1
　｜酢 … 小さじ1
　｜塩麹 … 小さじ1/5

みょうが（せん切り）… 2本分
青じそ（せん切り）… 3枚分

1. 耐熱容器になすを入れてラップをし、電子レ
   ンジで3分ほど加熱して、水けをきる。

2. ボウルにAを入れてよく混ぜ、みょうがと
   青じそ、1.を加えて和える。


# ほうれん草の
# 塩麹ピーナッツバター和え

ピーナッツバターはチャンクタイプを
使うと食感が楽しめます。

材料と作り方　2人分

ほうれん草 … 1/2束

A｜ピーナッツバター（チャンクタイプ）
　｜　… 大さじ1
　｜塩麹 … 小さじ1
　｜はちみつ … 小さじ1

1. 鍋に湯を沸かしてほうれん草を1分ほどゆ
   で、水にさらす。水けをよく絞って5cm長さ
   に切る。

2. ボウルにAを入れてよく混ぜ、1.を加えて
   和える。

塩麹アヒージョ

塩麹レバーのオイル煮

塩麹ガーリックシュリンプ

# 塩麹レバーのオイル煮

新鮮なレバーやハツが手に入れば
血抜きなしでもOK。

材料と作り方　2人分

鶏レバー＆ハツ … 合わせて250g
にんにく（薄切り）… 1片分
ローリエ … 1枚
オリーブ油 … 大さじ6
塩麹 … 大さじ1½

────

1. 鶏レバーは余分な脂や筋を取って一口大に切
   る。ハツは半分に切る。これらを冷水につけ、
   血で水が濁ったら新しい水に取り替えて血抜
   きをする。ペーパータオルで水けをふき、塩
   麹を塗って15分ほど冷蔵庫に入れる。

2. 鍋に1.と残りの材料を入れ、転がしながら
   弱火で15分ほど煮る。

# 塩麹アヒージョ

バゲットなどにのせてどうぞ。
パスタにからめてもおいしい。

材料と作り方　2〜3人分

A │ しらす干し … 80g
　 │ にんにく（薄切り）… 1片分
　 │ ケッパー（酢漬け）… 大さじ1
　 │ 赤唐辛子 … 1本
　 │ 塩麹 … 小さじ1

オリーブ油 … ¼カップ

────

小鍋にAを入れて混ぜ、オリーブ油を加えて中
火にかける。フツフツしてきたら弱火にし、1分
ほど加熱する。

# 塩麹ガーリックシュリンプ

塩麹でえびのうまみが倍増。炒めている間に味がしみ込みます。

材料と作り方　2〜3人分

えび（ブラックタイガー／殻つき）
　 … 12尾
塩麹 … 小さじ2
にんにく（みじん切り）… 1片分
バター … 大さじ1
米油 … 大さじ2
こしょう … 適量
イタリアンパセリ … 適量
レモン（くし形切り）… ¼個分

────

1. えびは殻つきのまま、背中に切り目を入れて背わたを取り除く。
   ボウルに入れ、塩小さじ1（分量外）をもみ込み、水洗いして汚
   れを流し、水けをきる。塩麹とにんにくを加えて15分ほど室
   温におく。

2. フライパンにバターと米油を熱し、1.を入れて殻に焼き目が
   つくまで7分ほど、弱火でじっくり両面を焼いてこしょうをふ
   る。

3. 器に盛ってイタリアンパセリを飾り、レモンを添える。レモン
   を搾って食べる。

# 塩麹水餃子

塩麹で肉がやわらかくなるだけでなく、
肉汁まで奥深い味わいに。

材料と作り方　2人分

ワンタンの皮 … 30枚
白菜 (みじん切り) … 小1枚 (50g) 分
塩 … 小さじ½

**A** 豚ひき肉 … 100g
にら (みじん切り) … ½束分
しょうが (すりおろし) … ½片分
にんにく (すりおろし) … 1片分
塩麹 … 小さじ2
ごま油 … 大さじ1

ラー油、酢、万能ねぎ (小口切り)（各好みで)
　… 各適量

———

1. 白菜は塩を加えてよくもみ、水けをぎゅっと
   絞る。

2. ボウルに1.とAを入れ、粘りが出るまでよ
   くこね、30等分にしてワンタンの皮で包む。
   ＊この状態で冷凍用保存袋に入れて約1か月冷凍可
   能。

3. 鍋に湯を沸かし、2.を入れて浮かんでくる
   まで3分ほどゆでて器に盛る。好みでラー油
   や酢、万能ねぎをかけて食べる。

塩麹 ——— Salted kōji

41

塩麹 —— Salted kōji

## ラディッシュの塩麹バターソテー

有塩バターを使う場合は塩麹の量を少なめにして。

材料と作り方　2人分

ラディッシュ（葉を落として縦2等分に切る）… 6個
バター（食塩不使用）… 大さじ1（約12g）
塩麹 … 小さじ1

────

フライパンにバターを熱し、ラディッシュの切り口を下にして入れる。焼き目がつくまで中火で2分ほど焼き、全体を混ぜて炒める。最後に塩麹を加えて味をととのえる。


## 塩麹タリアータ

肉に塩麹を塗ってから、オリーブ油でうまみを閉じ込めるのがポイント。

材料と作り方　2人分

牛ヒレ肉（ステーキ用）… 250g
塩麹 … 大さじ1
オリーブ油 … 小さじ3
にんにく（薄切り）… 1片分

**A** | バルサミコ酢 … 大さじ1
     | オリーブ油 … 大さじ1
     | 塩、こしょう … 各適量

パルメザンチーズ（かたまり）… 10g

────

1. 牛肉は室温にもどし、塩麹をまんべんなく塗ってからオリーブ油小さじ1を両面に塗る。

2. フライパンに残りのオリーブ油とにんにくを入れて中火にかけ、香りが立ったら1.を入れて、片面90秒ずつ強火で焼く。

3. 肉を取り出して薄切りにし、にんにくとともに器に盛る。

4. フライパンに残った肉汁に**A**を入れて熱し、3.にかける。パルメザンチーズをスライサーで薄く削ってかける。

# 塩麹チキントマト煮込み

煮込んでいる間に肉のうまみと他の材料のうまみが融合。

材料と作り方　2人分

鶏胸肉 … ½枚(150g)
にんにく(みじん切り) … 1片分
オリーブ油 … 大さじ2
玉ねぎ(くし形切り) … ½個分

A｜トマト水煮缶(ホール) … ½缶(200g)
　　黒オリーブの実(水煮／種なし) … 10粒
　　ローリエ … 1枚
　　塩麹 … 大さじ1

1. 鶏肉はフォークなどで皮に数か所穴をあけて一口大に切る。

2. フライパンににんにくとオリーブ油を入れて中火にかけ、香りが立ったら玉ねぎを加えて炒める。しんなりしたら1.を加え、表面が色づく程度にさっと炒める。

3. Aを加えて、中火で5分ほど煮込む。

# 肉吸い風 塩麹豚と豆腐

関西風のだしのきいたつゆ。さっぱりといただけます。

材料と作り方　2人分

豚バラ薄切り肉 … 100g
塩麹 … 小さじ1
焼き豆腐（4等分に切る） … 1丁

A ┃ だし … 400㎖
　　　*水400㎖に市販のだし1袋（8g）を入れて煮出す。
　　 みりん … 大さじ1
　　 薄口しょうゆ … 少々

万能ねぎ（3㎝長さの斜め切り） … 2〜3本分

1. 豚肉は塩麹をまぶし、室温に10分ほどおく。

2. 鍋にAを入れて沸かし、1.と焼き豆腐を加えて中火で煮る。アクが出たらひく。

3. 豆腐が温まったら万能ねぎを加えて火を止め、器に盛る。

# みそレバーペースト

レバーやハツのくさみはみそが相殺。パンにつけてもおいしい。

材料と作り方　2人分

鶏レバー＆ハツ … 合わせて200g

**A** 玉ねぎ（みじん切り）… $\frac{1}{6}$個分
にんにく（包丁の背でつぶす）… 1片
オリーブ油 … 大さじ2

生クリーム … 大さじ1$\frac{1}{2}$
みそ … 大さじ2
こしょう … 適量
クラッカー … 適量

1. 鶏レバーは余分な脂や筋を取って一口大に切る。ハツは半分に切る。これらを冷水につけ、血で水が濁ったら新しい水に取り替えて血抜きをする。

2. 鍋に**A**を入れて火にかけ、香りが立ったら1.を加えて色づくまで中火で5分ほど炒める。火を止めて粗熱をとる。

3. フードプロセッサーに2.を入れ、生クリームとみそを加えてペースト状になるまで攪拌する。最後にこしょうを加えてひと混ぜして器に盛る。クラッカーにつけて食べる。

# みそチリコンカン

スパイスのきいたチリコンカン。ビールや赤ワイン、ウイスキーとよく合います。

材料と作り方　2人分

合いびき肉 … 100g
玉ねぎ (みじん切り) … 1/4個分
にんにく (みじん切り) … 1片分
オリーブ油 … 大さじ1
ごぼう (さいの目切り) … 1/2本分

**A** | トマト水煮缶 (ホール) … 1/2缶 (200g)
　　 | キドニービーンズ水煮缶 (缶汁はきる)
　　 | 　 … 1/4缶 (100g)
　　 | みそ … 大さじ2
　　 | トマトケチャップ … 大さじ1 1/2
　　 | カレー粉 … 小さじ1/2
　　 | カイエンペッパー (粉末) … 小さじ1/4

1. フライパンに玉ねぎ、にんにく、オリーブ油を入れて中火にかけ、香りが立ったらごぼうを加えて1分ほど炒める。

2. ひき肉を加えて肉の色が変わるまで5分ほど炒め、Aを加えて焦げないように混ぜながら、5分ほど水分が少なくなるまで煮る。

ひよこ豆のＸＯ醤みそ炒め

かきとキャベツのみそバター炒め

みそ炒り卵

みそ —— Miso

# かきとキャベツの
# みそバター炒め

意外な組み合わせなのに
相性抜群の炒めもの。

材料と作り方　2〜3人分

かき（むき身／加熱用）… 8粒
片栗粉 … 小さじ1
キャベツ（一口大に切る）… 4枚
米油 … 大さじ1
バター … 大さじ1
にんにく（みじん切り）… 1片分
みそ … 小さじ2
こしょう … 適量

———

1. かきは片栗粉をまぶして約3％の塩水（分量外）でふり洗いし、水けをよくきる。

2. フライパンに米油を熱して1.を並べ入れ、両面に焼き色がつくまで中火で2分ほどよく焼いて、いったん取り出す。

3. 2.のフライパンにバター、にんにく、キャベツを入れて強火で炒め、キャベツがしんなりしたら、2.のかきを戻し入れる。みそを加えてこしょうをふり、全体を混ぜて器に盛る。

# ひよこ豆のXO醬みそ炒め

あっという間にできるひと皿。
飲みながらでも作れちゃいますよ。

材料と作り方　2人分

ひよこ豆水煮缶（缶汁はきる）… 130g
XO醬 … 小さじ2
みそ … 大さじ1
酒 … 大さじ1

———

フライパンにXO醬を入れて中火にかけ、香りが立ってきたらひよこ豆を加えて1分ほど炒め、みそと酒を加えて炒め合わせる。

# みそ炒り卵

一見、ただの炒り卵と思いきや、
しっかりとみそ味がきいていて驚き！

材料と作り方　2人分

卵 … 2個
みそ … 大さじ1
かつお節 … 1パック（2g）
酒 … 小さじ2

———

1. ボウルに卵を溶きほぐし、残りの材料を加えて混ぜる。

2. 鍋に1.を流し入れ、焦げないように注意して、箸でかき混ぜながら、卵が半熟になるまで中〜弱火で炒る。

酒粕シュウマイ
*Recipe＿p.52*

アスパラガスの
酒粕エッグソースかけ
*Recipe＿p.52*

酒粕ポテサラ
*Recipe — p.53*

酒粕ディップ
*Recipe — p.53*

# 酒粕シュウマイ

肉汁がじゅわっ〜と広がります。
何もつけずにそのままどうぞ。

材料と作り方　作りやすい分量

シュウマイの皮 … 30枚
玉ねぎ（みじん切り）… 1個分
片栗粉 … 大さじ1

A | 豚ひき肉 … 300g
　 | 生しいたけ（みじん切り）… 2個分
　 | しょうが（すりおろし）… 1片分
　 | 酒粕 … 大さじ2
　 | 塩麹 … 大さじ1
　 | しょうゆ … 小さじ1
　 | こしょう … 小さじ1

白菜 … 2枚

———

1. ボウルに玉ねぎと片栗粉を入れてまんべんなく混ぜ、Aを加えてよく混ぜる。30等分にしてシュウマイの皮で包む。

2. 蒸気の上がった蒸し器に白菜を敷いて1.を並べ入れ、中火で10分ほど蒸す。

# アスパラガスの
# 酒粕エッグソースかけ

卵は半熟くらいにすると、
塩麹や酒粕とよくなじみます。

材料と作り方　2〜3人分

グリーンアスパラガス（根元のかたい部分を
　切り落とし、根元から¼の皮をむく）… 3本
卵 … 1個
塩麹 … 小さじ2
酒粕 … 大さじ1
バター（食塩不使用）… 小さじ1
＊サラダ油やオリーブ油でもよい。

———

1. 卵は室温にもどして鍋に入れ、かぶるくらいの水を加えて火にかける。沸騰したら3〜5分ゆでて冷水にとり、冷めたら殻をむいてボウルに入れる。フォークなどでざっくりとつぶし、塩麹と酒粕で和える。

2. フライパンにバターを熱し、アスパラガスを入れて中火で5分ほど、転がしながら焼く。

3. 器に盛り、1.をかける。

# 酒粕ポテサラ

じゃがいもは少しかたまりが残る程度に
ざっくりとつぶすと食感が楽しい。

材料と作り方　2人分

じゃがいも … 2個
卵 … 1個
玉ねぎ（薄切り）… 1/4個分
塩 … 適量

**A** | 酒粕 … 大さじ1 1/2
太白ごま油 … 大さじ1
塩昆布 … 小さじ1

―――

1. 卵は室温にもどして鍋に入れ、かぶるくらい
   の水を加えて火にかける。沸騰したら3〜5
   分ゆでて冷水にとり、冷めたら殻をむいてボ
   ウルに入れ、フォークなどでざっくりとつぶ
   す。

2. 玉ねぎは塩ひとつまみでよくもんで、水けを
   絞る。

3. じゃがいもはよく洗って鍋に入れ、かぶるく
   らいの水を加えて火にかける。沸騰したら弱
   火にして10〜15分ゆで、熱いうちに皮を
   むいてフォークなどでざっくりとつぶし、
   1.に加える。2.とAを加えて混ぜ、塩適量
   で味をととのえる。

# 酒粕ディップ

酒粕もチーズも発酵食品だから
相性は抜群です。

材料と作り方　2人分

酒粕 … 大さじ1
クリームチーズ … 40g
好みのドライフルーツミックス … 30g

―――

ボウルに材料をすべて入れ、よく混ぜ合わせる。
＊そのままでも、パンやクラッカーなどにのせて食べても
　OK。

# 酒粕お好み焼き

酒粕と塩麹効果であふれるうまみ。
どんどんイケます。

材料と作り方　2人分

豚バラ薄切り肉 … 100ｇ
薄力粉 … 50ｇ
白菜（みじん切り）… 200ｇ分

**A** ｜ 長いも（すりおろし）… 100ｇ分
　｜ 卵 … 1個
　｜ 酒粕 … 大さじ2
　｜ 塩麹 … 小さじ1

米油 … 大さじ1
マヨネーズ、かつお節、青のり（各好みで）
　… 各適量

———

1. ボウルに**A**を入れてよく混ぜ、薄力粉と白菜を加えてさらに混ぜる。

2. 熱したフライパンに米油を入れ、1.を流し入れて直径20㎝くらいに広げる。豚肉をのせて弱火で10分ほど焼く。

3. 下面に焦げ目がついてきたらひっくり返し、焦げ目がつくまでさらに10分ほど焼く。

4. 器に盛り、好みでマヨネーズ、かつお節、青のりをのせる。
　＊ポン酢で食べてもおいしい。

# これも発酵食品③　納豆

健康食品の王様ともいえる納豆。もともとは食べきれなかった煮大豆をわらに包んでおいていたら、自然発酵して糸を引き、食べてみたらおいしかったことから食べられるようになったそう。独特の香りが苦手な人も、いろいろな食品と組み合わせることで思わぬ相乗効果が生まれ、新しいおいしさに出合えます。同じ発酵食品であるお酒との相性も抜群ですよ。

## 納豆ドレッシングサラダ

シャキシャキの赤大根をバリバリ食べられるサラダ。

材料と作り方　2人分

ミキサーに［納豆50g］［しょうゆ、米油各大さじ1］を入れて攪拌し、納豆ドレッシングを作る。［赤大根（レディサラダ／普通の大根でも可）10cm］はスライサーでせん切りにして水に放し、水けをきる。器に盛り、納豆ドレッシングと［ちりめんじゃこ15g］をかけ、和えながら食べる。

## 納豆肉みそ

相性抜群の青じそに包んで召し上がれ！

材料と作り方　2人分

フライパンに［ごま油大さじ1］と［にんにくのみじん切り1片分］を入れて弱火にかけ、香りが立ったら［豚ひき肉80g］を加えて炒める。肉の色が変わったら、［ひきわり納豆50g］［酒、砂糖各大さじ1］［みそ大さじ2］［豆板醬小さじ1］を加えて炒め合わせる。器に盛り、［青じそ（またはレタス）適量］を添える。

## 納豆おやき

スナック感覚でいただける手軽さが魅力です。

材料と作り方　3枚分

［じゃがいも1個］はせん切りにし、ボウルに入れる。［納豆50g］［片栗粉大さじ1］［万能ねぎの小口切り3本分］を加えてよく混ぜ合わせる（ここまで🅰）。熱したフライパンに［米油大さじ1］を入れ、🅰を3等分にして丸く広げ、両面がカリッとするまで中火で焼く。［ポン酢適量］などで食べる。

## 納豆と切り干し大根とひじきの梅和え

栄養豊富なさっぱり味の和えものです。

材料と作り方　2人分

[切り干し大根、乾燥芽ひじき各5g] はそれぞれ水でもど
し、芽ひじきは湯通し（または電子レンジで1分加熱）し、切り
干し大根はみじん切りにする。[梅干し1個] は種を取って、
包丁でたたく。すべてをボウルに入れ、[ひきわり納豆40
g] [しょうゆ小さじ½] [白炒りごま小さじ1] を加えて和
える。しょうゆの量は梅干しの塩けで調整する。

## 納豆オムレツ

卵の中にはとろとろ納豆。マヨネーズをつけてどうぞ。

材料と作り方　2人分

ボウルに [卵2個] を割り入れて溶き、[長ねぎのみじん切
り10㎝分] [ひきわり納豆40g] [生クリーム大さじ2] [し
ょうゆ小さじ1] を加えてよく混ぜる（ここまで a ）。熱し
たフライパンに [米油大さじ1½] を入れ、a を加えて箸
で大きく混ぜて半熟状になったら、片側に寄せてオムレツ
形にまとめる。器に盛り、[マヨネーズ適量] を添える。

## 納豆巻き

のりと納豆の風味がいいハーモニー。

材料と作り方　1～2人分

ボウルに [酢、砂糖各小さじ1] [塩少々] を入れてよく混
ぜ、[温かいご飯茶碗1杯分] を入れて混ぜ合わせる。巻き
すに [焼きのり1枚] の表を下にしておき、手を酢水（酢少々
を加えた水）でぬらす。焼きのりの奥側⅓を残して、奥側の
端が少し厚くなるようにすし飯をのせる。真ん中に半分に
切った [青じそ1枚分] を敷いて [ひきわり納豆40g] をの
せ、[白炒りごま小さじ1] をふって手前から巻く。食べや
すい大きさに切って器に盛り、[しょうゆ適量] をつけて
食べる。

# 牛肉塩麹炒めの
# ヨーグルトソースかけサラダ

やわらかお肉とソース、生野菜が渾然一体となって
口の中にうまみがじんわり広がります。

材料と作り方　2人分

牛薄切り肉 … 200g

**A** | にんにく (みじん切り) … 1片分
しょうが (みじん切り) … 1片分
クミンパウダー … 小さじ1
米油 … 大さじ1

塩麹 … 小さじ1
こしょう … 適量

ヨーグルトソース
玉ねぎ (みじん切り) … 1/8個分
ヨーグルト (プレーン) … 大さじ3
塩麹 … 大さじ1
こしょう … 適量

紫キャベツ (5cm長さのせん切り) … 1枚分
にんじん (5cm長さのせん切り) … 30g分
スペアミント … ひとつかみ

1. フライパンに**A**を入れて中火で熱し、香りが立ったら牛肉を
   加えて炒める。肉の色が変わったら、塩麹とこしょうを加えて
   味をととのえる。

2. ヨーグルトソースの材料を合わせて混ぜる。

3. 器に1.を盛り、2.をかける。紫キャベツとにんじんを混ぜ、
   ミントとともに添えて混ぜながら食べる。

# 照り焼きチキン

テリとこんがりとした焼き目が食欲をそそります。
酢の力で肉もやわらかに。

材料と作り方　2人分

鶏手羽中 … 10本
米油 … 大さじ1

A | 酢 … 大さじ2
　 | みりん … 大さじ2
　 | しょうゆ、砂糖 … 各大さじ1

———

フライパンに米油を熱し、手羽中を入れて皮目に焼き目がつくまで
弱火で5分ほど焼き、裏返してさらに1分ほど焼く。最後にAを加
えてからめる。


# きのこのアグロドルチェ

アグロドルチェはイタリア料理で甘酢煮込みのこと。
はちみつのほのかな甘みを楽しんで。

材料と作り方　2人分

マッシュルーム（小は縦2等分、大は4等分に切る）… 6個
生しいたけ（縦4等分に切る）… 4個
まいたけ（小分けにする）… 1パック

A | オリーブ油 … 大さじ2
　 | にんにく（薄切り）… 1片分
　 | 赤唐辛子 … 1本

B | バルサミコ酢 … 大さじ2
　 | 塩麹 … 大さじ1½
　 | はちみつ … 大さじ1

こしょう … 適量

———

1. フライパンにAを入れて中火で熱し、香りが立ったらきのこ
   類を入れてしんなりするまで5分ほど炒める。

2. 1.にBを加えてさらに3分ほど炒め、こしょうで味をととの
   える。

ラープ

*Recipe — p.64*

れんこん炒め
*Recipe_p.64*

たけのこのナンプラー炒め
*Recipe_p.65*

あさりと菜の花の
ナンプラー蒸し
*Recipe_p.65*

## ラープ

ラオスやタイのサラダ料理。
パクチーとライムがアクセントです。

材料と作り方　2人分

豚ひき肉 … 80g
米 … 大さじ1
米油 … 大さじ1
にんにく（みじん切り）… ½片分
ナンプラー … 小さじ2
こしょう … 適量
紫玉ねぎ（薄切り）… ¼個分
トレビス（1cm幅に切る）… 適量
パクチー（5cm長さに切る）… 適量
青唐辛子（好みで／小口切り）… 1本分
ライム（くし形切り）… ¼個分

1. フライパンに米を入れて弱火でから炒りし、色づいたら食べてみて、カリッとしたら取り出す。

2. 1.のフライパンに米油とにんにくを入れて弱火にかけ、香りが立ったらひき肉を入れて中火で炒める。肉の色が変わったらナンプラーを加え、こしょうをふって炒め合わせる。

3. 器に1.と2.、紫玉ねぎ、トレビス、パクチーを盛り、好みで青唐辛子を散らしてライムを添える。ライムを搾り、混ぜながら食べる。

## れんこん炒め

シンプルだけれど飽きがこないひと皿。
どんなお酒にも合います。

材料と作り方　2～3人分

れんこん（7mm厚さの輪切り）… 100g分
米油 … 大さじ1
ナンプラー … 小さじ2

1. れんこんは5分ほど酢水（酢少々〈分量外〉を加えた水）にさらし、ざるに上げて水けをきる。

2. フライパンに米油を熱し、1.を入れて中火で少し焦げ目がつくまで炒め、ナンプラーを加えて炒め合わせる。

## たけのこのナンプラー炒め

歯ごたえ抜群の一品。
味をなじませるのがポイントです。

材料と作り方　2人分

たけのこ (水煮／7mm厚さのいちょう切り) … 150g分
スナップえんどう … 8本
ナンプラー … 小さじ2

———

1. 鍋に湯を沸かしてたけのこを入れ、再び沸騰
   したらざるに上げる。スナップえんどうは2
   分ほどゆでてざるに上げ、斜め半分に切る。

2. ボウルに1.を入れ、ナンプラーを加えて和
   える。10分ほどおいて器に盛る。

## あさりと菜の花の
## ナンプラー蒸し

あさりのうまみがしみ込んで美味。
ナンプラーの風味が鼻に抜けます。

材料と作り方　2人分

あさり (殻つき／砂抜きしたもの) … 200g
菜の花 (5cm長さに切る) … $\frac{1}{2}$束
酒 … 大さじ2
赤唐辛子 … 1本
ナンプラー … 小さじ1

———

1. フライパンにあさり、菜の花、酒、赤唐辛子
   を入れてふたをし、中火にかけて2分ほど蒸
   し焼きにする。

2. あさりの口が開いたらふたをあけ、ナンプラ
   ーを回しかけてひと混ぜし、器に盛る。

# ひじきと青菜のナンプラー炒め

シャキシャキの小松菜の歯ごたえが楽しい。にんにく風味がおいしさを後押しします。

材料と作り方　2人分

乾燥芽ひじき … 5g
小松菜（5cm長さに切る）… ½束
ごま油 … 大さじ1
にんにく（みじん切り）… ½片分
ナンプラー … 小さじ2

1. 芽ひじきはさっと水で洗い、10分ほど浸水してもどす。ざるに上げて水けをきる。

2. フライパンにごま油とにんにくを入れて中火で熱し、香りが立ったら1.を入れてさっと炒め、小松菜を加えて強火にし、しんなりするまで炒める。ナンプラーで味をととのえ、器に盛る。

# トマトのナンプラー卵とじ

トマトの酸味とナンプラーのうまみのハーモニーが抜群。

材料と作り方　2人分

トマト (8等分のくし形切り) … 1個分
卵 … 2個
豆乳 … 大さじ1
ナンプラー … 小さじ1
ごま油 … 小さじ3
塩、こしょう … 各適量

---

1. ボウルに卵を溶き、豆乳とナンプラーを加えてよく混ぜる。

2. 熱したフライパンにごま油小さじ1とトマトを入れ、中火で炒める。

3. トマトの表面が崩れてきたら残りのごま油を加え、1.を加えて、卵が半熟状になるまで1分ほど炒める。塩、こしょうで味をととのえて器に盛る。

# 大根のナンプラー煮

鶏肉に焼き目をつけて
うまみを閉じ込めてから煮込むのがポイント。

材料と作り方　2人分

鶏手羽元 … 6 〜 8本
米油 … 大さじ1
水 … 500㎖

A | 大根 (乱切り) … 1/2本分
  | しょうが (薄切り) … 1片分
  | ナンプラー … 大さじ2
  | 酒 … 大さじ1

——

1. 熱した鍋に米油と手羽元を入れ、皮目に焦げ目がつくまで中火
   で3分ほど焼く。

2. 分量の水を加えて**A**を入れ、落としぶたをして中火で15分ほ
   ど煮る。


# ナンプラー酢ごぼう

ナンプラー独特の香りが
ごぼうを包み込んでパンチのあるひと皿に。

材料と作り方　2人分

ごぼう (5㎝長さに切って縦半分に切る) … 1本

A | ナンプラー … 大さじ1
  | 酢 … 大さじ1
  | 砂糖 … 小さじ1
  | 白炒りごま … 小さじ1

——

1. ごぼうは5分ほど酢水 (酢少々〈分量外〉を加えた水) にさらす。鍋
   に湯を沸かして7 〜 8分ほど下ゆでし、ざるに上げて水けをき
   る。

2. ボウルに**A**を入れて混ぜ合わせ、1.を加えて和える。

# これも発酵食品④　キムチ

キムチは、白菜などの野菜を塩漬けして発酵させた漬けもの。発酵させることで独特のうまみが出てきます。また、乳酸菌やビタミンが豊富な健康食品としても知られています。そのまま食べてもおいしいのですが、料理に取り入れると味のアクセントに。お店にはいろいろなメーカーのものが並んでいるので、好みのキムチを見つけて料理に活用しましょう。

## キムチやっこ

いつもと違うピリ辛冷ややっこです。

材料と作り方　2人分

[キムチ適量] は刻む。[絹ごし豆腐1丁] は、半分に切ってそれぞれ器に盛る。絹ごし豆腐にキムチをのせ、[白炒りごま適量] をかける。

## アボカドキムチ和え

クリーミィーなアボカドとキムチの味の妙が楽しい。

材料と作り方　2人分

[アボカド1個] は縦2等分にして種を取り、皮をむいて食べやすい大きさに切る。[キムチ適量] は刻む。アボカドとキムチを [ごま油小さじ1] で和える。

## キムチヂミ

味つけいらずのヂミ。塩やポン酢でさっぱりと。

材料と作り方　2人分

ボウルに [片栗粉40g] と [薄力粉30g] をふるい入れ、[水70㎖] を加えて泡立て器でダマにならないようによく混ぜ、[卵1個] を割り入れてさらに混ぜる。[キムチ100g] は刻んで、[にら½束] は5cm長さに切ってともに加え、よく混ぜ合わせる（ここまで🅰）。熱したフライパンに [ごま油大さじ2] をひき、🅰を流し入れて [豚バラ薄切り肉100g] をのせ、中火で5分ほど焼く。ひっくり返して、カリッとなるまでさらに5分ほど焼く。食べやすく切って器に盛り、好みで [塩（またはポン酢）適量] で食べる。

# 第3章 10分〜ひと晩なじませる漬けるおつまみ

漬けるのはポリ袋が便利です。空気を抜いてから袋の口を閉じるのがポイント。塩麹やみそなどで漬ける場合は、材料の表面にまんべんなく行き渡るようにしてください。なお、みそ漬けはみその種類によって風味が変わります。私はこうじがたっぷり入った自家製のみそを使っているので、甘みやうまみが強いのですが、市販のみそを使う場合は、みりん大さじ1を足してよく混ぜてから材料になじませるといいでしょう。

塩麹 ——— Salted kōji

空気をしっかり抜き、ポリ袋の口を
閉じて冷蔵庫へ。

# 豆腐の塩麹漬け

ミネラル分の多い塩でいただくと
豆腐のおいしさが際立ちます。

材料と作り方　2人分
豆腐（一晩水きりをする）… 1丁
＊木綿でも絹ごしでも好みでOK。
塩麹 … 大さじ1
オリーブ油 … 適量

————

豆腐は全体に塩麹を塗ってポリ袋に入れ、半日ほ
ど冷蔵庫におく。食べやすい大きさに切って器に
盛り、オリーブ油をかける。

# 野菜の浅漬け

残り野菜などで
サッと作れるのが魅力です。

材料と作り方　2～3人分
キャベツ（一口大に切る）… 1/8個
なす（縦半分に切って斜め薄切り）… 1本分
にんじん（2mm幅の半月切り）… 1/2本分
みょうが（せん切り）… 1本分
しょうが（せん切り）… 1片分
＊野菜は好みのものでよい。目安は合わせて300g。
塩麹 … 大さじ1/2

————

ボウルに野菜類を入れて混ぜ合わせ、塩麹を加え
て軽くもむ。ひとまわり小さいボウルに水を入れ
て重石にし、15分ほどおいてよくもむ。
＊保存容器に入れて冷蔵で2～3日保存可能。

# チーズのみそ漬け

みその味をみて、足りないようなら
好みでみりんを加えた漬け床にしてもいいでしょう。

材料と作り方　2人分

チーズ（コンテなどのハードチーズ）… 約100g
みそ … 大さじ1

———

ポリ袋にチーズとみそを入れ、チーズの表面にみそがまんべんなく
つくようにして空気を抜き、冷蔵庫に一晩おく。5mm厚さにスライ
スして器に盛る。


# 牛肉のみそ漬け

牛肉のうまみが口の中いっぱいに広がる、
食べごたえのある一品です。

材料と作り方　2〜3人分

牛ロースかたまり肉 … 250g
みそ … 大さじ1½
米油（またはオリーブ油）… 大さじ1
青唐辛子（好みで）… 1本

———

1. ポリ袋に牛肉とみそを入れ、牛肉の表面にみそがまんべんなく
   つくようにして空気を抜き、冷蔵庫に半日ほどおく。

2. フライパンに米油を熱し、1.を取り出してみそをぬぐって入
   れ、中火で1分半焼く。ひっくり返してさらに1分ほど焼く。
   好みで青唐辛子をいっしょに焼く。肉を1cm厚さに切って盛り
   つけ、青唐辛子を添える。

# 鮭の酒粕漬けグラタン

酒粕漬けの風味とチーズが好相性な洋風のオーブンレシピ。

材料と作り方　2人分

鮭（甘塩／切り身）… 2切れ
酒粕 … 小さじ4
じゃがいも（薄切り）… 大1個分
生クリーム … 大さじ3
塩、こしょう … 各適量
シュレッドチーズ … 30g

1. ポリ袋に鮭と酒粕を入れ、鮭の表面に酒粕がまんべんなくつくようにして空気を抜き、冷蔵庫に一晩おく。

2. 耐熱皿にじゃがいもを並べ入れて敷き、1.を取り出して酒粕がついたままのせる。生クリームを流し入れて塩、こしょうをし、チーズをまんべんなくのせる。

3. 180℃のオーブンでこんがり焼き色がつくまで15分ほど焼く。

# 鶏肉の酒粕漬け唐揚げ

酒粕漬けにした鶏肉は、やわらかくジューシー。箸が止まりません。

材料と作り方　2人分

鶏胸肉（一口大に切る）… 1枚（250g）

A | にんにく（すりおろし）… 1片分
  | しょうが（すりおろし）… 1/2片分
  | 酒粕 … 大さじ3
  | 塩麹 … 大さじ1

片栗粉 … 大さじ2
揚げ油 … 適量
紫キャベツ（好みで／ちぎる）… 2枚

1. ポリ袋にAを入れて混ぜ合わせ、鶏肉を入れてなじませて空気を抜き、冷蔵庫に2時間ほどおく。

2. 1.のポリ袋に片栗粉を入れてよくまぶし、180℃の揚げ油で2分ほど揚げる。一度取り出して2分ほどおき、180℃の油に戻し入れてもう一度1分ほど揚げる。

3. 器に盛り、好みで紫キャベツを添える。

野菜のヨーグルト漬け
*Recipe ＿ p.80*

ドライフルーツの
ヨーグルト漬け
*Recipe ＿ p.80*

スペアリブの
みそヨーグルト漬け
*Recipe_p.81*

あじの
ヨーグルト漬け
*Recipe_p.81*

# 野菜のヨーグルト漬け

ヨーグルトの乳酸菌が
野菜のうまみを引き出します。

材料と作り方　2人分

紫キャベツ (一口大に切る) … 1枚
赤大根 (レディサラダ／3mm厚さの半月切り)
　… 1/4本分
パプリカ (黄／3cm長さの乱切り) … 1/4個分
きゅうり (3cm長さの乱切り) … 1/2本分
＊好みの野菜でよい。目安は合わせて300g。
塩 … 小さじ1
ヨーグルト (プレーン) … 大さじ2

―――――

ポリ袋に野菜と塩を入れてもみ、ヨーグルトを加
えて混ぜ、空気を抜いて冷蔵庫に30分ほどおく。
＊ポリ袋に入れた状態で冷蔵で2日保存可能。

# ドライフルーツの
# ヨーグルト漬け

ドライフルーツがヨーグルトの
水分を吸ってペースト状に。

材料と作り方　2～3人分

レーズン、ドライクランベリー、
　ドライアプリコット (レーズンの大きさに
　　そろえて切る) … 合わせて150g
＊好みのドライフルーツでよい。
ヨーグルト (プレーン) … 150g
コーンフレーク (手で砕く) … 適量

―――――

1. 保存容器にドライフルーツとヨーグルトを入
　れて混ぜ合わせ、冷蔵庫に1時間ほどおく。
　＊保存容器に入れて冷蔵で2日保存可能。

2. 器に盛り、コーンフレークをかける。

## スペアリブの
## みそヨーグルト漬け

みそとヨーグルトのダブル効果で
肉がやわらかくジューシーに。

材料と作り方　2人分

豚スペアリブ … 400g
みそ … 大さじ1½
ヨーグルト（プレーン）… 大さじ1½
オリーブ油 … 大さじ2
イタリアンパセリ … 適量

———

1. ポリ袋にみそとヨーグルトを入れて混ぜ合わ
   せ、スペアリブを入れて空気を抜き、冷蔵庫
   に半日ほどおく。

2. オーブンシートを敷いた天板に1.を取り出
   してのせ、オリーブ油を回しかけて、180℃
   のオーブンで15分ほど焼く。

3. 器に盛り、イタリアンパセリを添える。

## あじのヨーグルト漬け

あじの代わりにいわしでもOK。
刺身用なら手間いらず。

材料と作り方　2人分

あじ（刺身用／薄切り）… 1尾分
紫玉ねぎ（薄切り）… ¼個分
塩 … 小さじ½
ヨーグルト（プレーン）… 大さじ2
ケッパー（酢漬け）… 大さじ1
こしょう … 適量

———

1. 紫玉ねぎは水に5分ほどさらしてざるに上
   げ、水けをきる。

2. ボウルに1.とあじを入れ、塩をふって混ぜ、
   ヨーグルトとケッパー、こしょうを加えて和
   える。10分ほどおいて器に盛る。

# ピクルス

作りおきにぴったり。箸休めにもなるので重宝します。

材料と作り方　2人分

れんこん（3mm厚さの半月切り）… 100g分
カリフラワー（小房に分ける）… 100g
玉ねぎ（縦細切り）… 100g分
＊好みの野菜でよい。目安は合わせて300g。

ピクルス液

　白ワインビネガー … 100㎖
　白ワイン … 100㎖
　こしょう（ホール）… 5粒
　クローブ（ホール）… 2粒
　カルダモン（ホール）… 1粒
　ローリエ … 1枚
　赤唐辛子 … 1本
　砂糖 … 大さじ2
　塩 … 小さじ1

1. 鍋に湯を沸かしてれんこんを入れ、2～3分ゆでる。

2. 煮沸消毒をした瓶（下記参照）に1.と残りの野菜類を詰める。

3. 鍋にピクルス液の材料を入れて火にかけ、沸騰したら2.に注ぎ入れて冷ます。冷めたらふたをして冷蔵庫に入れる。1時間ほどしたら食べられる。
　＊保存瓶に入れて冷蔵で10日保存可能。

保存瓶の消毒のしかた
鍋にたっぷりの水と保存瓶を入れて火にかけ、沸騰したら5～10分煮沸し、トングで取り出して乾かす。

# 田作りと切り干しとナッツの南蛮漬け

歯ごたえのある一品。噛むほどに口の中にうまみが広がります。

材料と作り方　2人分

田作り(ごまめ) … 30g
切り干し大根 … 20g
アーモンド(ロースト／粗く刻む) … 40g
紫玉ねぎ(薄切り) … ¼個分
米酢 … 大さじ2
はちみつ … 大さじ2
ナンプラー … 小さじ2
糸唐辛子 … 適量

1. 田作りはフライパンでから炒りし、切り干し大根は
   洗って、水で5分ほどもどしてぎゅっと絞る。

2. ボウルに1.と残りの材料をすべて入れ、よく和え
   る。10分ほどおいて器に盛る。

ミニトマトのナンプラー漬け

セロリのナンプラー漬け

半熟卵のナンプラー漬け

## ミニトマトの
## ナンプラー漬け

ナンプラーの風味と甘酸っぱさが
クセになります。

材料と作り方　2人分

ミニトマト（ヘタを取る）… 10個
ナンプラー … 大さじ1
米酢 … 大さじ1
はちみつ … 大さじ1

―――――

1. ミニトマトは湯むきする。鍋に湯を沸かし、
   ミニトマトを入れ、皮がはじけたら冷水にと
   って皮をむく。

2. 保存容器にナンプラー、米酢、はちみつを入
   れてよく混ぜ、1.を加えて冷蔵庫に2時間ほ
   どおく。
   ＊保存容器に入れて冷蔵で2日保存可能。

## セロリのナンプラー漬け

シャキシャキとした食感と
ほんのり甘みのあるセロリを堪能して。

材料と作り方　2人分

セロリ（茎は5cm長さのそぎ切り、葉はざく切り）
　… 2本分
ナンプラー … 大さじ1
はちみつ … 小さじ1

―――――

ボウルにセロリとナンプラーを入れてもみ込み、
はちみつを加えてよく混ぜ合わせる。ラップをし
て冷蔵庫に半日ほどおく。
＊保存容器に入れて冷蔵で3日保存可能。

ふたをして冷蔵庫へ入れ、途中で
上下を返しながら漬ける。

## 半熟卵のナンプラー漬け

漬け汁をかけて食べてもおいしく、
残った漬け汁は煮ものや炒めものにも使えます。

材料と作り方　6個分

卵 … 6個
ナンプラー … 大さじ2
水 … 大さじ2
＊ナンプラー：水＝1：1にする。

―――――

1. 卵は室温にもどして鍋に入れ、かぶるくらいの水を加えて
   火にかける。沸騰したら3～5分ゆでて冷水にとり、冷め
   たら殻をむく。

2. 保存容器にナンプラーと分量の水を入れてよく混ぜ、1.を
   入れて冷蔵庫に半日ほどおく。途中で上下を返す。

# 自家製サラダチキンのサラダ

サラダチキンを作っておけば
いろいろな野菜や果物と合わせられます。

材料と作り方　2人分

サラダチキン
鶏胸肉 … 1枚 (250g)
ナンプラー … 大さじ1
水 … 200㎖
砂糖 … 小さじ1
アボカド (7㎜厚さの半月切り) … 1/2個分

————

1. サラダチキンを作る。鶏肉はフォークなどで皮に数か所穴をあける。鍋にナンプラー、分量の水、砂糖を入れて混ぜ、鶏肉を入れてふたをし、弱火に10分ほどかける。沸騰直前で鶏肉をひっくり返し、さらに5分煮て火を止め、そのまま冷ます。冷めたら保存容器に入れて冷蔵庫に3時間ほどおく。
   * 鶏肉を触って、やわらかすぎる場合はまだ半生なので、再び火にかけて数分煮る。
   * 保存容器に入れて冷蔵で3日保存可能。

2. 1.のサラダチキンをアボカドと同じくらいの大きさに手で裂き、アボカドと混ぜ合わせて器に盛る。

　　　　　ナンプラー ——— Nampler

# 焼き魚のナンプラー漬け

ぶりを焼くときは余分な粉をはたいて。
おかずにしても喜ばれます。

材料と作り方　2〜3人分

ぶり(切り身／3等分に切る) … 2切れ
塩 … 少々
片栗粉 … 小さじ2
オリーブ油 … 大さじ1

A | 紫玉ねぎ(薄切り) … 1/2個分
　 | パプリカ(黄／薄切り) … 1/2個分
　 | 青唐辛子(好みで／小口切り) … 1本分
　 | ナンプラー … 大さじ1
　 | はちみつ … 小さじ1

1. ぶりは塩をふって、片栗粉をまぶす。フライパンにオリーブ油を熱し、ぶりを入れて中火で両面を焼く。

2. ボウルにAを入れてよく混ぜ、1.を加えて和える。1時間ほどなじませて器に盛る。


# まぐろのナンプラー漬け

深い味わいのまぐろ。日本酒にもワインにも合います。

材料と作り方　2人分

まぐろ(刺身用さく) … 100g
ナンプラー … 大さじ1
砂糖 … 小さじ1
白炒りごま、ごま油、パクチー … 各適量

1. 保存容器にナンプラーと砂糖を入れてよく混ぜ、まぐろを加えて冷蔵庫に入れ、1時間以上漬け込む。途中で上下を返す。

2. 1.のまぐろを取り出して2cmの角切りにし、ボウルに入れて炒りごまとごま油を加えて和える。器に盛り、パクチーを添える。

# 餃子の皮で発酵おつまみピザ

オーブントースターで5分焼くだけ。あっという間にできるとってもお手軽なピザです。チーズはもちろん、アンチョビやみそをのせれば、立派な発酵おつまみ。餃子の皮が残ったときにもぜひ活用してください。

## ゴルゴンゾーラと洋梨

洋梨の甘みとチーズの個性的な風味が絶妙。

材料と作り方　1枚分

[洋梨の缶詰1切れ]は薄切りする。[餃子の皮1枚]に洋梨を並べてのせ、[ゴルゴンゾーラチーズ小さじ1]をのせて[オリーブ油適量]を回しかける。オーブントースターで5分ほど焼く。

## アンチョビとブロッコリー

どんなお酒とも好相性です。

材料と作り方　1枚分

[ブロッコリー1房(約20g)]は3〜4等分に切り、[アンチョビフィレ⅓枚]は小さくちぎる。[餃子の皮1枚]にブロッコリーと[にんにくの薄切り1枚]をのせてアンチョビを散らし、[シュレッドチーズひとつまみ]をのせる。オーブントースターで5分ほど焼く。

## トマトソースとルッコラ

トマトとチーズの組み合わせはピザの定番。

材料と作り方　1枚分

[餃子の皮1枚]に[トマトソース小さじ1]を塗り広げ、[にんにくの薄切り1枚][シュレッドチーズひとつまみ]をのせる。オーブントースターで5分ほど焼き、[ルッコラ適量]をのせる。

## サラダチキンとねぎ

サラダチキンは市販のものでも大丈夫。

材料と作り方　1枚分

[サラダチキン (作り方はp.86) 10g] は手で小さく裂く。[餃子の皮1枚] に [みそ小さじ$\frac{1}{2}$] を塗り、サラダチキン、[長ねぎの斜め切り4枚] を順にのせて [シュレッドチーズひとつまみ] をのせる。オーブントースターで5分ほど焼く。

## しらすとチーズ

カリッと焼けたしらす干しが美味です。

材料と作り方　1枚分

[餃子の皮1枚] に [しらす干し小さじ1] [ケッパー (酢漬け) 2 ～ 3粒] [シュレッドチーズひとつまみ] を順にのせる。オーブントースターで5分ほど焼く。

## サラミとマッシュルーム

サラミとマッシュルームのうまみがあいまって絶品。

材料と作り方　1枚分

[餃子の皮1枚] に [サラミの薄切り3枚] [マッシュルームの薄切り$\frac{1}{2}$個分] [シュレッドチーズひとつまみ] をのせ、[こしょう適量] をふる。オーブントースターで5分ほど焼く。

# わたしの手作り発酵食品

本書では市販の発酵食品で作るおつまみを紹介しましたが、ここでは簡単に手作りできる「塩麹」と「ヨーグルト」の2種をご紹介します。塩麹は4日〜1週間、ヨーグルトは8時間ほどで完成です。

## 塩麹

塩の代わりに手軽に使えます。発酵で生まれたうまみや深いコクがプラスされるばかりか、酵素の力で肉や魚などはやわらかく仕上がります。

材料と作り方　作りやすい分量

乾燥米こうじ … 200g
天日塩 … 60g
＊ミネラル分の多い天日塩がおすすめ。
水 … 250㎖

**1.** 容器に米こうじを入れて手でほぐす。

**2.** 塩を加えてスプーンなどで混ぜる。

**3.** 分量の水を加えて混ぜ合わせる。

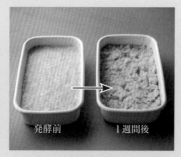

発酵前　　1週間後

**4.** ふたをして、室温で4日〜1週間発酵させる。出来上がるまでは1日1回混ぜる。
＊目安は米こうじの芯がなくなるまで。夏場のほうが早く完成する。

**5.** ボウルに移し入れ、ハンディブレンダーでなめらかになるまで攪拌する。
＊清潔な保存容器に入れて冷蔵で約6か月保存可能。

# ヨーグルト

材料は市販のヨーグルトと牛乳だけ。ヨーグルトの乳酸菌で牛乳を発酵させます。漬け床として、少しクセのある素材をヨーグルトにつければ、まろやかな風味になって食べやすくなります。

材料と作り方　作りやすい分量

ヨーグルト（プレーン）… 100g
＊ここではギリシャヨーグルトを使用。

牛乳 … 1パック（1000㎖）
＊乳脂肪分3.5%以上のものがおすすめ。

1. ヨーグルトメーカーの容器にヨーグルトを入れ、牛乳を加えてスプーンで混ぜる。
   ＊スプーンは熱湯消毒したものを使う。

2. ヨーグルトメーカーにセットする。

3. スイッチを入れて発酵させる。
   ＊メーカーの取り扱い説明書にしたがって作る。
   ＊清潔な保存容器に入れて冷蔵し、1週間以内で食べきる。

## ヨーグルトメーカーがないときは、牛乳パックで作れます

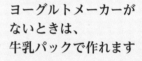

作り方

1. 牛乳1パックから100㎖を取り出す。

2. 1.の牛乳パックにヨーグルト100gを入れ、牛乳パックの口をしっかりふさいで、上下にふって混ぜる。

3. 35〜40℃の環境で8時間発酵させる。
   ＊オーブンの発酵機能を使うと便利。室温（25〜30℃）の場合は、出来上がるまで1日半くらいかかる場合もある。

# 索引

Maiko Shindo

# 真藤舞衣子

料理家。カフェ「マイアン my-an」(山梨市)のオーナー。会社勤務ののち、京都の大徳寺内塔 頭(たっちゅう)で1年間生活。その後、フランスのリッツ・エスコフィエ・パリ料理学校に留学し、ディプロマを取得。帰国後東京の菓子店に勤務。現在は料理教室の主宰やレシピ開発、食育講座、ラジオ、テレビのレギュラーコメンテーターや料理番組などで多忙な日々。著書に『箸休め』(学研プラス)、『NHKまる得マガジンプチ 麹:手づくりみそ、甘酒、塩麹』(NHK出版)など多数。

http://www.my-an.com/

アートディレクション・デザイン
小橋太郎(Yep)

撮影
竹内章雄

スタイリング
池水陽子

構成・編集
小橋美津子(Yep)

校正・DTP
かんがり舎

プリンティングディレクター
栗原哲朗(図書印刷)

撮影協力
UTUWA

編集長
山口康夫(MdN)

企画編集
若名佳世(MdN)

## 免疫力が上がる、おいしくなる<br>からだが整う発酵おつまみ

2020年 5月16日　第1版第1刷発行
2022年 4月 6日　第1版第2刷発行

著　者　真藤舞衣子

発行人　山口康夫
発　行　株式会社エムディエヌコーポレーション
　　　　〒101-0051
　　　　東京都千代田区神田神保町一丁目105番地
発　売　株式会社インプレス
　　　　〒101-0051
　　　　東京都千代田区神田神保町一丁目105番地
印刷・製本　図書印刷株式会社

Printed in Japan

【カスタマーセンター】
造本には万全を期しておりますが、万一、落丁・乱丁などがございましたら、送料小社負担にてお取り替えいたします。お手数ですが、カスタマーセンターまでご返送ください。

◎落丁・乱丁本などのご返送先
〒101-0051 東京都千代田区神田神保町一丁目105番地
株式会社エムディエヌコーポレーション　カスタマーセンター
TEL：03-4334-2915

◎内容に関するお問い合わせ先
info@MdN.co.jp

◎書店・販売店のご注文受付
株式会社インプレス　受注センター
TEL：048-449-8040／FAX：048-449-8041

ISBN978-4-295-20320-9
C2077